Rothenburg
ob der Tauber

© **1987,** Edm. von König-Verlag, D-6909 Dielheim, Federal
Republic of Germany, Postfach 1027
Photographs: Willy Sauer, Dielheim
Aerial photographs: permitted by the Reg. Präs. Ka. 0/17223
Text: Wolfgang Kootz
Translated by Translation Services Dr. Paul Foster
English: Susan Sills-Evers
French: Philippe Laventure
Spanish: Joaquim Burillo
Set up: W. Sauer, W. Knopf, H. Roth
Setting: Fotosatz H. Stadler, CH-Egg/ZH
Photolithos and print: Vontobel-Druck AG, CH-Feldmeilen
ISBN: 3-921 934-03-6

In the same series:
Dinkelsbühl — Heidelberg — Der Rhein — Ulm an der Donau

Rothenburg
ob der Tauber

W. Sauer, W. Kootz

Edm. von König-Verlag, Heidelberg

Rothenburg showing the Herrngasse between the Town Hall and the Marienapotheke. ▷

La Herrngasse, ou rue des Seigneurs, entre l'hôtel de ville et la Marienapotheke, ou pharmacie de la Vierge Marie.

Rothenburg hacia la calle Herrngasse, entre el Ayuntamiento y la farmacia Marienapotheke.

Rothenburg's Development to a Town

The formerly independent imperial town of Rothenburg proudly towers 60 m (200 ft) above the right bank of the Tauber River. From the west in particular, it presents us with the imposing view of a powerful imperial town that has gained historical significance throughout the centuries. Above the dense vegetation of the river bank and the intact strip of the town ramparts one can see its steep gables and mighty towers thrust together in a wonderfully lively silhouette of striking beauty.

The origins of the town can be found in the section of the city called Detwang, a neighbouring little village in the Tauber Valley. In 970 the East Franconian Earl Reinger erected the parsonage Detwang and simultaneously built a castle on the strategically favourable ledge of Rothenburg. Reinger is considered to be the first of the Earls of Rothenburg. His royal lineage died out in 1116 with Heinrich II von Rothenburg. Emperor Heinrich V invested his nephew Duke Konrad von Schwaben (of Swabia) with the districts of East Franconia.

Thus Rothenburg fell into the possession of the powerful Hohenstaufers. In 1137 Konrad became king of the German Empire and held court in Rothenburg. In front of the old Earl's castle he built the «Reichsveste» (empire fortress) or «Kaiserburg» (emperor's castle) as his residence. His son Friedrich grew up in the castle of Rothenburg. The «child of Rothenburg», as he was commonly called, was just 8 years old as his father died, and so Konrad's nephew Friedrich I, nicknamed «Barbarossa», was elected as successor. However, the «child of Rothenburg» remained in possession of the Swabian and Franconian family properties. At the age of 13, he was knighted and nominated Duke of Rothenburg by Barbarossa. Life in his court comprised one of the high points in the history of the castle. Gradually settlements of craftsmen, tradespeople and noblemen grew up on a plateau behind the fortress, safe within its protection. But this first bloom of Rothenburg lasted only a few years. In 1167 Duke Friedrich the Rich, also known as «the Nice», followed his cousin Barbarossa to Italy on a military expedition against Pope Alexander III. On the return home, an epidemic broke out among the victorious troops and took the life of the Duke of Rothenburg.

Emperor Friedrich Barbarossa gained his inheritance and administered the Franconian properties from Rothenburg through truchesse. In 1171 the Emperor visited the castle with its adjoining settlement and granted it town rights. And so in the twelfth century the first rampart circuit which stretched for 1400 m (1530 yds) was built. Already in 1204 construction was begun on a second fortification circuit which corresponds to the layout of today's town wall, excluding the Spitalviertel (former hospital district), which was incorporated into the town later. The following town gates now formed the fortified entrances to the town: the Kobolzeller Gate, the Siebers Tower, the Röder Gate, the Würzburger Gate, and the Klingen Gate. From the older structure there remained only the Burgtor (Castle Gate) in the rampart circuit as well as the Weiße Turm (White Tower) and the Röderbogen (Röder Arch) with the Markusturm (Marcus Tower) within the town itself. The town then sold the old rampart as well as the property it was built on to citizens who desired it for construction.

In 1250 work was begun on the impressive Gothic Rathaus (town hall). Emperor Rudolf von Habsburg granted Rothenburg the status of an independent imperial town in 1274.

During these uncertain times more and more people living outside the fortification poured into the town. In addition, as was usual in early medieval times, the Hospital «zum Heiligen Geist» (to the Holy Ghost), was situated unprotected outside of the town ramparts. Consequently the Rothenburgers received the permission of Emperor Albrecht I to include the hospital district within the fortification circuit. Through this expansion the rampart was extended again by about 1000 m (1094 yds) to reach a total of 3400 m (3718 yds), making an effective defence even more difficult.

Rothenburg Gains Political Importance

In the course of the centuries Rothenburg was accorded privileges for its loyalty to the Emperor, and consequently its trade and crafts reached full bloom. The political importance of the city was increased by the right to form independent alliances. Rothenburg joined the Swabian town alliance and remained always closely allied to the Emperor.

In 1356 an earthquake destroyed the entire fortification. In the middle of the fourteenth century the picturesque bridge over the Tauber was erected.

The name of Rothenburg's most renowned mayor is mentioned for the first time in a certificate from 1373: «Heinrich Toppler from Rothenburg on the Tauber was the captain of Ulm, Nördlingen, Dinkelsbühl and several other towns. They even travelled to the Rhine in pursuit of their enemies.»

Heinrich Toppler came from a respected family and was an exceptionally rich man. His summer residence was the «Topplerschlößchen» (Toppler's little castle) in the Tauber Valley, which he had constructed in the style of a Roman aristocratic tower. Its nickname «Kaiserstuhl» (Emperor's chair) can be traced back to the fact that the German King Wenzel was Heinrich Toppler's frequent guest there. The ambitious Toppler thus had the opportunity to wield great influence on the political situation while the indecisive Wenzel, who was always in financial straits, let his favours be bought by Toppler and the affluent town.

During Toppler's period of office, construction was begun on the mighty St.Jacob's Church, which was later to dominate the town silhouette.

As the affluent town gained in political importance, the power of the noblemen decreased proportionately. In the first conflict dating from 1373, Toppler proved himself to be a cautious leader. His most virulent opponent was Friedrich von Hohenzollern, Burggraf von Nürnberg, who gained the upper hand in 1400 when King Wenzel was deposed for neglecting his governmental duties. Ruprecht of Palatinia, a brother-in-law of the Nürnbergers, was elected to replace him. A feud resulted, and the ensuing battle led to the destruction of the cultivated countryside around Rothenburg. In the peace treaty of 1408 the town was obliged to pay high reparations, so that its citizens had to pay taxes again for the first time in decades. The mood of the town grew hostile to Toppler. When on April 6, 1408, a letter from Toppler to the deposed King Wenzel was intercepted, the mayor, his oldest son, and his cousin were arrested and thrown into the dark dungeon in the cellar of the town hall. Heinrich Toppler died here after two months of imprisonment; his relatives were freed shortly afterwards.

The successors of this important man had to pay more than 10,000 guldens to the town, swear an oath of peace, and sell their possessions in the vicinity of Rothenburg. Toppler's gravestone can be found today in St.Jacob's Church.

The Era of the Reformation

Martin Luther's ideas also found acceptance in Rothenburg. The town allied itself with the peasant army under Florian Geyer. In Rothenburg, the «iconoclast» Dr. Karlstadt stirred up the townspeople, and on Easter Monday 1525 a horde of millers from the Tauber Valley looted the Kobolzeller Kirchlein (Kobolzeller Chapel), destroyed its art treasures, and threw the remains in the river. In the same year there was decisive battle where the imperial troops of the Swabian alliance slaughtered Florian Geyer's peasant troops. On June 26, 1525, Mark-graf Casimir von Ansbach, one of the victorious generals, moved to Rothenburg. Two days later he had a list of reprimands read outloud to the townspeople from the marketplace. The leaders were publicly beheaded, and the seventeen corpses lay in the street until evening «so that their blood thrickled down the Schmiedgasse like a little brook».

The council decided in favour of the Catholic religion again. Nevertheless, the ideas of the Reformation had become part of the townspeople, and in 1554 the main church finally became protestant.

In Rothenburg, an excellent Renaissance architect, Leonhard Weidmann, was active. His masterpiece is the Renaissance facade of the town hall (dating from 1572), which he added to replace the east wing of the Gothic double building which had been destroyed by fire.

The Decline of the Town in the Thirty Years War

The lengthy Thirty Years War then arose. Until the fateful years of 1631, the town was spared from any serious warfare. In that year, King Gustav-Adolf of Sweden had taken up quarters in Rothenburg. Upon departure, he left behind a small garrison to protect the town against the invasion of the imperial troops. However, the most powerful general of the Catholic league, Tilly, had intended to use precisely Rothenburg for his winter quarters. He appeared before the city and demanded entrance. Faithful to their Swedish allies, the council denied him entrance and occupied the ramparts. But resistance to the formidable enemy lasted only two days before the defenders surrendered. The imperial army, which had lost about 300 men, plundered the town so thoroughly that even the poor students of Latin had their clothes taken away.

The following punishment has its origin in legend: Tilly, furious with the vehement resistance of the town, wanted to have four of its councillors executed. All pleading was in vain, and Mayor Bezold had to call upon the hangman. Meanwhile, a huge bumper containing 3¼ liters (.86 gal) of the best Franconian wine was offered to the general in an attempt to pacify him. In a whim, Tilly promised the town protection from further looting and destruction if one of the town councillors emptied the bumper at one draught. The ex-mayor Nusch accepted the challenge and so saved the town. Apart from having to sleep for three days afterwards, he emerged unscathed. This scene is depicted on the hour on the clockwork of the gable of the Ratsherrntrink-stube (Councillor's Tavern) while the entire legend is staged during the annual «Meistertrunk» festival.

For years after, Rothenburg had to put up with the passing and quartering of troops. In 1645 there was a final siege. This time the imperial troops did not want to surrender the town, but they could not withstand the French besiegers under General Turenne who numbered 30,000 and had 50 cannons. The fully famished soldiers had to be cared for in the town and the surrounding villages. Within the town ramparts, 530 sick and wounded Frenchmen and Hessians were tended to; about 300 of them died and received mass burials. When the army withdrew, the supplies were exhausted and the crops were flattened. In order to obtain firewood, even old houses were ripped apart. Finally, in 1647, an army under Markgraf von Durlach so thoroughly extorted the citizens that some moved away while others were reduced to destitution. With the conclusion of peace in 1648, the town had to pay an indemnity of 50,000 guldens. In order to meet this sum, it was forced to obtain a loan for the first time and was even obliged to tax the earnings of servants, farmhands, and maids. Two years later the last soldiers finally pulled out of the drained town.

Rothenburgs Loses Its Imperial Independence

Through war and epidemics the population of Rothenburg shrunk by half. In order to pay its debts, the town had to sell its real estate and mortgage villages. It never again recovered from this bleeding.

In the year 1802 Rothenburg lost its imperial independence and became Bavarian. Development reached a total standstill in the impoverished town.

Because Rothenburg slumbered like a Sleeping Beauty through the centuries, it has preserved the unfalsified image of its medieval self. In the 1860's, the town became once again an object of interest, and trains opened it up for tourism.

An air attack on Easter Saturday 1945 inflicted heavier damages on the town than all the preceding wars. More than 300 houses, 6 public buildings, 9 towers and 1 kilometer (about ⅔ of a mile) of the ramparts were destroyed. However, the owners reconstructed the buildings according to old plans, enabling Rothenburg to remain until today the destination of local and foreign tourists, a medieval treasure.

Churches and Monasteries

The impressive St.Jacob's Church, an example of the High Gothic style, was inaugurated in 1448 after more than 100 years of construction. Because the period of construction was so long, many craftsmen were involved in the planning and execution of the church. This variety can be seen particularly clearly in the different shapes of the tops of the twin towers.

The interior of the church is considered to be a fine example of the highly developed art of the German Gothic, which was devoted almost exclusively to sacred buildings. The benches in the choir were reserved for the members of the Deutschherren order, who observed church services here until well into the sixteenth century. Artistic stained glass windows inset shortly after the completion of the church are found at the end of the choir. The room is dominated, however, by the colourful Zwölfbotenaltar (Altar of the Twelve Apostles), which was donated by Mayor Toppler and his first wife in 1388. The paintings on the inner and outer wings as well as those on the predella are by the famous church painter Friedrich Herlin (approx. 1430–1500). Scenes from Mary's life are depicted on the inside of the wings while the legend and death of the church patron Jacob are illustrated on the outside. The Maria-Krönungs-Altar (Altar of the Virgin Mary), put together in the nineteenth century, also contains old works of art. In the Topplerkapelle (Toppler Chapel) there is a gravestone commemorating Rothenburg's most famous son and mayor. The most important work of art in the church is to be found behind the organ in the western church gallery: the Heiligblut-Altar (Holy Blood Altar), the creation of Tilman Riemenschneider (1460–1531), a woodcarver renowned in all Germany. The reliefs on the side wings show Christ's procession to Jerusalem and The Mount of Olives scene. They encircle the Last Supper scene, which is fully sculpted from linden wood.

In the Herrngasse (Herrn Lane) we find the early Gothic Franziskanerkirche (Franciscan Church) with its delicate side tower. It belonged to the monastery of the beggar order which was founded in Rothenburg in 1281 and it was inaugurated in 1309. A wooden barrier called the Lettner separates the choir, the earlier seat of the monks, from the nave, the place for the laity. The floor, walls and columns are richly decorated with gravestones and bronze plates engraved with coats of arms from Rothenburg's patrician families and the landed nobility from the surrounding countryside.

St. Wolfgang was the patron saint of the shepherds and was supposed to protect their flocks from the ravenous wolves and sickness. In 1475 construction was started on the Wolfgangskirche (St. Wolfgang's Church, also known as the Shepherds' Church) on the site of the shepherds' former place of prayer in front of the Klingentor (Klingen Gate). It was incorporated into the town ramparts. A turret rather than a tower houses the single bell. Instead of windows, there are two rows of loopholes on the facade. The church borders on the outer tower gate of the Klingenbastei (Klingen Bastion), whose guardroom could only be reached via a winding staircase in the interior of the fortified church. The builders took advantage of the exceptionally thick walls underneath the ramparts by constructing in them chapels, a sacristy, and a winding staircase that led to the casemates under the floor of the church.

In the year 1200 the Johanniters took over a hospital at the southern town gate where the oldest fortifications are; later they expanded it to serve as a seat for their order. Two hundred years later the town built them the church which today is part of the Catholic community. Today the Medieval Crime Museum is housed in the neighbouring chapterhouse.

In 1280, the town began construction on a second hospital, the Spital «zum Heiligen Geist» (Hospital of the Holy Ghost). It provided care for the sick and poor and at first also functioned as a hostel for travellers who had reached the town after the gates had been closed. Even today the buildings around the hospital form a closed complex. The towerless Spitalkirche (Hospital Church) with its noteworthy grave memorials and sculptures from the fourteenth and fifteenth centuries was part of the original complex. The main building is found to the south, as is the delightful Hegereiterhaus (Hegereiter House) in the middle of the courtyard. The latter was designed by Leonhard Weidmann. The long barn that stored agricultural contributions to the church is located in the western section of the grounds; it was constructed in 1699 and was enlarged in 1975 to become the Reichsstadt Halle.

In stark contrast to the sober and practical buildings which surround it, we find the lovely Hegereiter House with its pointed roof and slim stairwell tower crowned by a lantern. The hospital kitchen used to be on the ground floor while the upper floor was occupied periodically by the supervisor of the extensive hospital possessions. In 1250 a local manor lord donated his dairy farm to the Dominicans, who converted it into a monastery. It was inhabited by female members of the order, mainly unmarried or widowed aristocrats, until the sixteenth century. Today the Reichsstadtmuseum (Imperial Town Museum) and an art gallery are housed in the former Dominican nunnery.

In the valley beneath the Kobolzeller Gate is the Kobolzeller Chapel, a delicate late Gothic building from the late fifteenth century. Unfortunately its art treasures were destroyed in the Peasants' War when some millers, incited by Dr. Karlstadt, demolished the valuable furnishings.

Public Buildings

The building that dominates the marketplace is the town hall, which was constructed over a period of five centuries. After the old Gothic seat of administration fell victim to fire in 1240, construction was begun a few years later on today's Gothic town hall. The front half was again destroyed by fire in 1505. In 1572–78 the brilliant Rothenburg architect Leonhard Weidmann replaced it with a wonderful Renaissance structure. The high bay window and the stairwell tower soften the strong horizontal lines of the German Renaissance and are a compassionate architectural link with the heavenward sweep of the Gothic construction. The facade of the Baroque arcades joins the solid structure with the uneven surface of the marketplace through its front steps.

In the day from 11 to 3 and in the evening at 9 and 10, the tourists gather on the hour at the marketplace and look up in anticipation at the gable of the Ratsherrntrinkstube (Councillors' Tavern) on the north side of the market. Close together we find here the Capital's Clock from the seventeenth century, a calendar clock, the imperial coat of arms, and, at the very top, a sun clock inscribed with the date 1768. At the times mentioned above, the bull's-eye windows in the bottom part of the gable open, and the principle figures of the Meister, trunk legend appear. In the right window, the former mayor Nusch raises the hugh container and empties it, much to the astonishment of General Tilly. In doing so, he saves the city.

According to tradition, the framework house behind the Herterichsbrunnen (Herterichs Fountain) at the southwest corner of the market was built on the foundations of the oldest town hall, which burned down in 1240. Until the eighteenth century Rothenburg's butchers sold their wares on the groundfloor of the building while the second floor was used as a ballroom. Its present name, the Meat and Dance Hall, can be traced back to these former practices.

Another splendid framework house, the Judentanzhaus (Jewish Dancehall), adjoins the Weiße Turm (White Tower). It was the cultural center of the Jewish community of about 500 people until their expulsion in 1520. They also used the building as a hostel. The famous rabbi Meir Ben Baruch (1215–93) presided here.

Because of its position on a plateau, the town had constant water supply problems during the Middle Ages. Particularly in the case of a siege, there was the danger that the enemy would «draw off the water» or even poison it. In the sixteenth century the town installed a huge copper vat in the upper story of the Klingen Gate which then furnished the numerous town fountains with water. At the same time it built fountains in the style of the day, that is, in the Renaissance style. The 12 sided Herterichs Fountain (1608) at the marketplace is the most decorative of these. There are two further Renaissance fountains in the Herrngasse: the Herrnbrunnen (Herrn Fountain) and at the Kapellenplatz (Chapel Square), the Seelbrunnen (Soul's Fountain). A picturesque covered draw-well has been preserved in the Hofbrunnengäßchen.

The Houses of the Townspeople

We can distinguish above all two groups of houses built by Rothenburg's citizens: on the one hand, we have the stately high-gabled patrician houses in the Oberer Schmiedgasse and in the Herrngasse (in the vicinity of the marketplace), and on the other hand, we have the considerably more modest houses of the craftsmen found both in the narrow lanes in the center of the town as well as on its outskirts.

The Baumeisterhaus (Masterbuilder's House), 1596, is situated at the beginning of the Oberer Schmiedgasse. The sculpted figures on its delicately divided facade represent alternately the seven virtues and the seven vices. Noteworthy is also its atmospheric inner courtyard with the romantic arcaded passageway and gallery of several floors. The neighbouring houses originate from the fourteenth century.

One of the most beautiful framework houses in Rothenburg, the Jagsteimerhaus (Jagsteimer House), faces the Herterichs Fountain at the marketplace. The building, which today houses the Marien Apothecary, was built by Mayor Jagstheimer in 1488 as a residence. In 1513 Emperor Maximilian I was a guest in this house. In contrast to the Jagstheimer House, the other proud patrician houses face the Herrngasse. Houses number 11 and 15 still have romantic inner courtyards. The most attractive of all, however, is the Staudtsche House, characterized by its artistic window gratings. The impressive courtyard with its galleries, oriel window and stairwell tower also delighted its regal guests (Emperors Karl I and Ferdinand I as well as the wife of Gustav-Adolf, the Swedish Queen Eleonor).

The framework houses of the craftsmen in the Middle Ages were considerably lower and less ornate. As examples, we have the rows of houses in the romantic Burggasse (Castle Lane), the charming sections at the Plönlein and at the Röder Arch, the «old forge» at the eastern ramparts as well as the house of the master baker Feuerlein in the Klingengasse with its thoroughly picturesque oriel window.

Usually little is known about the fate of the less distinguished houses. The Alt-Rothenburger Handwerkhaus (Old Rothenburg Craftsmen House), Stadtgraben 26, near the Röder Arch, is an exception to this rule. It was constructed between 1270 and 1300 and it housed in the course of seven centuries coopers, dyers, weavers, shoemakers, tinkers, potters, basket weavers, soap makers, pavers, tinsmiths, and masons. This jewel has been preserved until today because during the period of modernization it was inhabited by a hermit who left it in its original condition since he needed neither running water nor electricity. A 14 m (about 15.3 yds) deep well in the interior provides sufficient water even today.

It is also worth a trip to the Tauber Valley in order to visit Toppler's Little Castle. The legendary mayor Heinrich Toppler had this unique water tower built in 1388 in the style of Roman aristocratic towers as his summer residence. The rooms today are almost identically furnished to the way they were at the time of their construction.

The Fortifications

When a settlement in the Middle Ages received town rights, it was allowed among other things to erect ramparts. This happened in Rothenburg in the twelfth century. After the necessary expansion had started in 1204, only the part of the original circuit sloping down to the Tauber Valley was usable; the rest was auctioned off as construction material. Consequently in the town itself only the White Tower and the Röder Archway with its protective Marcus Tower were preserved. The tower of the Burgtor (Castle gate), Rothenburg's highest gate tower, is even somewhat older. The imperial eagle, the symbol of the independent imperial town, is depicted above the city's coat of arms.

After the first expansion of the town, another five town gates were constructed in the fourteenth century. They have been fully preserved until today. After the year 1500, the town fortified its entrances though bastions, projected defence positions. At the Klingen Gate, St. Wolfgang's Church was incorporated into the ramparts. In times of war, the Würzburger Gate was often the object of fierce fighting. In addition to the tower gate, only two slender towers and one of the outer gates have been preserved. In contrast, the Röder Gate still creates a formidable impression today. Its bastion with the double moat, drawbridge, and three outer gates was erected in 1615, a few years before the outbreak of the Thirty Years War, and is the most recent fortification of the town.

The Kobolzeller Gate guards the entrance into the Tauber Valley. The pointed arch with its decorative coat of arms is found in front of the main tower and is flanked by the Kohlturm (Kohl Tower), which wasn't erected over the entrance because of the steep slope.

After the Spital district was enclosed by the town ramparts during the fourteenth century, the town needed a new gate in the south to replace the Siebersturm (Siebers Tower), and the Spitalturm (Spital Tower) was erected. Toward the end of the sixteenth century, Leonhard Weidmann constructed a very modern and mighty fortification, the Spitalbastei (Spital Bastion) / Sieben Tore (Seven Gates), equipped to a large extent with trap doors. A wide moat and drawbridge protected Rothenburg's mightiest stronghold, whose walkway could be mounted with cannons.

In addition to the town gates, a number of towers of various sizes rises up above the ramparts. Notable among these are some of the higher constructions which were erected as lookouts over the expansive slope: the Stöberleiturm and the Strafturm on the valley side, and towards the plain, the mighty Faulturm.

Comment Rothenburg devint cité

L'ancienne ville impériale de Rothenburg s'élève majestueusement à une altitude de 60 m. au-dessus de la rive droite de la rivière Tauber. C'est surtout de l'ouest qu'elle offre aux regards l'aspect imposant d'une ville impériale puissante dont l'importance historique est le fruit de nombreux siècles. Au-dessus de la pente très verdoyante de la rive et de la bande ininterrompue que forme l'enceinte de la ville se pressent les pignons élancés et les énormes tours pour former une silhouette merveilleusement animée de beauté élémentaire.

L'origine de la ville remonte à l'actuel quartier de Detwang, un petit village des environs situé dans la vallée de la Tauber. Vers 970, le comte Reinger, originaire de Franconie orientale, institua la paroisse de Detwang et y entreprit vers la même époque des travaux visant à transformer en un château fort le rocher stratégiquement important de Rothenburg. Le comte Reinger passe pour être l'aïeul des comtes de Rothenburg. Avec la mort de Henri II de Rothenburg s'éteignit en 1116 la lignée comtale. L'empereur Henri V donna la Franconie orientale en fief à son neveu Konrad, duc de Souabe.

C'est ainsi que Rothenburg devint propriété des puissants Hohenstaufer. En 1137, Konrad fut couronné roi de l'empire allemand et il tint sa cour à Rothenburg. Il fit construire la «Reichsveste» ou «Kaiserburg» – Château fort impérial – en guise de résidence en avant du vieux castel comtal. Son fils Frédéric grandit à Rothenburg. A la mort de son père, «l'enfant de Rothenburg», comme l'appelait le peuple, était tout juste âgé de huit ans. C'est pourquoi les Electeurs nommèrent empereur le neveu de Konrad, Frédéric I, dit «Barberousse».«L'enfant de Rothenburg» conserva, cependant, le patrimoine souabe et franc de la famille. A l'âge de treize ans, il fut adoubé par Barberousse qui lui décerna le titre de «duc de Rothenburg». Sa cour passait pour être l'un des apogées de l'histoire du château. Sous sa protection se forma sur le haut plateau, à l'ombre de la fortification, une colonie d'artisans, de commerçants et de nobles. Mais ce premier épanouissement de Rothenburg ne dura que quelques années. En 1167, le duc Frédéric le Riche, également appelé «Le Bel», participa aux côtés de son cousin Barberousse à la campagne d'Italie organisée contre le pape Alexandre III. Lors de la retraite sévit toutefois dans les rangs de l'armée victorieuse une épidémie qui emporta également le duc de Rothenburg.

Son héritage revint à l'empereur Barberousse. Ce dernier fit désormais administrer ses terres franques par des écuyers résidant à Rothenburg. En 1171, l'empereur visita le château fort et lui accorda le statut de cité. C'est à la suite de cette visite que fut érigé au XIIᵉ siècle la première enceinte longue de 1400 m. On initia, dès 1204, l'édification d'un deuxième anneau de fortification qui correspond à l'actuel tracé des murs de la ville, exception faite du quartier hospitalier ajouté postérieurement. C'est ainsi que furent édifiées de nombreuses tours fortifiées destinées à défendre l'accès de la ville: Kobolzeller Tor, ou Porte de Kobolzell, Sieberturm, ou Tour Sieber, Rödertor, ou Porte Röder, Würzburger Tor, ou Porte de Würzbourg, et Klingentor. De la première enceinte, on ne conserva que le Burgtor, ou Porte du Château fort, le Weißer Turm, ou Tour Blanche, ainsi que le Röderbogen, ou Arche Röder, qui comprend le Markusturm, ou Tour Saint-Marc, au centre de la ville. La ville vendit petit à petit le vieux mur et le terrain à des maîtres d'oeuvre. C'est vers 1250 que l'on posa la première pierre de l'imposant hôtel de ville de style gothique. En 1274, l'empereur Rodolphe de Habsbourg a décerné à Rothenburg le titre de ville impériale.

En ces temps troublés, un nombre sans cesse croissant d'étrangers affluèrent dans la ville. En outre, comme cela était la coutume au moyen âge, l'hôpital «zum Heiligen Geist», c'est-à-dire «du Saint-Esprit», se situait à l'extérieur des murs de la ville sans la moindre protection. C'est pour cette raison que les citoyens de Rothenburg obtinrent de l'empereur Albert l'autorisation d'inclure le quartier hospitalier dans l'anneau de fortification. En conséquence de ce deuxième agrandissement de l'enceinte, la ligne de défense s'allongea de nouveau de 1000 m., atteignant au total 3400 m., ce qui rendit une défense efficace de la ville nettement plus problématique.

La cité de Rothenburg devient politiquement importante

Grâce aux privilèges obtenus au cours de nombreuses décennies, en récompense de la fidélité témoignée à l'égard de la famille impériale, le commerce et l'artisanat connurent dans la ville le plus grand épanouissement. Le droit de conclure des alliances fit croître l'importance politique de la ville. Rothenburg adhéra au «Schwäbischer Städtebund», ou «Ligue des villes souabes», lui-même étroitement allié à la maison impériale.

En l'an 1356, un tremblement de terre détruisit totalement le château fort. Vers le milieu du XIVe siècle fut construit au-dessus de la Tauber le pittoresque pont double.

C'est en 1373 que le nom du plus célèbre des bourgmestres de Rothenburg est mentionné pour la première fois dans un document: «Heinrich Toppler de Rothenburg-sur-la-Tauber était le commandant militaire des villes suivantes: Ulm, Norling (Nördlingen), Dinkelspühel ainsi que d'autres villes; elles s'étendaient jusqu'au bord du Rhin et n'avaient point d'ennemis».

Heinrich Toppler appartenait à une famille bien considérée et il était un homme extrêmement riche. Il avait ainsi choisi pour sa résidence d'été le «Topplerschlößchen», ou «petit Château Toppler», qu'il se fit construire dans la vallée de la Tauber à la manière d'une tour d'habitation romane. Que cette résidence eût également pour nom «Kaiserstuhl», ou «Trône impérial», cela est dû aux fréquentes visites du roi allemand Venceslas (1378–1400) qui y fut l'hôte de Heinrich Toppler. L'ambitieux Toppler en profita pour exercer une influence sur la grande politique tandis que l'empereur Venceslas, dont l'esprit de décision était des plus vacillants, n'hésitait pas à se faire payer ses faveurs par Toppler et la ville prospère pour se sortir de ses difficultés pécuniaires permanentes.

C'est pendant la magistrature de Toppler que fut mise en chantier la construction de la monumentale église Saint-Jacques qui donne son visage à la ville.

A mesure que croissait la signification des villes devenues prospères, le pouvoir de la noblesse s'affaiblissait. Lors du premier conflit qui éclata en 1373, Toppler se distingua par un commandement militaire circonspect. Le principal adversaire de Toppler était Frédéric de Hohenzollern, burgrave de Nuremberg. Ce dernier fit pencher la balance de façon décisive en sa faveur à partir de 1400, lorsque le roi Venceslas fut déposé par les Electeurs pour avoir négligé la conduite des affaires de l'Etat et remplacé par Rupert de Palatinat, un beau-frère du burgrave. Les adversaires prirent les armes. Les hostilités qui s'ensuivirent amenèrent la dévastation du territoire de Rothenburg. Le traité de paix conclu en 1408 imposa à la ville le paiement de lourdes réparations, de sorte que les citoyens furent contraints d'acquitter des impôts pour la première fois depuis des décennies. L'opinion publique se retourna contre Toppler. Et lorsque, le 6 avril 1408, une lettre de Toppler destinée à l'empereur Venceslas déchu fut interceptée par les autorités, le bourgmestre fut mis en état d'arrestation, de même que son fils aîné et son cousin, et jeté dans les oubliettes de la cave de l'hôtel de ville. Heinrich Toppler y mourut après deux mois d'incarcération. Ses parents furent peu après remis en liberté.

Les héritiers de cet homme de grande valeur durent payer à la ville la somme de 10.000 florins, renoncer par serment à toute guerre privée et vendre leurs terres aux alentours de Rothenburg. C'est dans l'église Saint-Jacques que se trouve la pierre tombale de Heinrich Toppler.

L'ère de la Réforme

Les idées de Martin Luther trouvèrent un écho favorable à Rothenburg. La ville s'allia à l'armée des paysans commandée par Florian Geyer. C'est à partir de Rothenburg que le Dr. Karlstadt, véritable «iconoclaste», incita la population à la révolte armée, au point que, le lundi de Pâques 1525, une bande de meuniers de la Tauber pillèrent la petite église de Kobolzell et en détruisirent les trésors d'art ou les jetèrent dans la rivière. Cette même année eut lieu la bataille décisive, au cours de laquelle l'armée des princes de la «Ligue des villes souabes» remporta une victoire écrasante sur les troupes de paysans commandées par Florian Geyer. Le 28. 6. 1525, le margrave Casimir von Ansbach, l'un des chefs de l'armée victorieuse, fit son entrée dans Rothenburg. Deux jours plus tard, il fit sermonner les bourgeois sur le Marktplatz ou place du Marché. Les meneurs furent décapités en public, les 17 cadavres furent laissés par terre jusqu'à la tombée de la nuit, «de telle sorte que leur sang se coagula en ruisselant le long de la Schmiedgasse, ou rue des Forgerons». Le conseil municipal décida alors de revenir à l'exercice de la religion catholique. Les idées de la Réforme n'en perdirent pas pour autant la faveur du peuple. C'est en 1554 que la principale église devint définitivement protestante.

Au XVIe siècle, Rothenburg connut en la personne de Leonhard Weidmann un bâtisseur remarquable du style Renaissance. Son chef d'oeuvre est la construction en style Renaissance de l'hôtel de ville – à partir de 1572 – qui remplaça l'aile droite du double édifice gothique détruite par les flammes.

La décadence de la ville pendant la guerre de Trente Ans

Vint alors la grande guerre, celle de Trente Ans. Jusqu'à l'année fatidique 1631, des opérations militaires sérieuses furent épargnées à la ville. Or, en cette année, le roi Gustave-Adolphe de Suède prit ses cantonnements à Rothenburg. Lorsqu'il quitta les lieux, il y laissa une petite garnison ayant pour mission d'empêcher une entrée des troupes impériales dans la ville. Mais voilà que Tilly. le plus puissant général de la Saint Ligue, choisit justement Rothenburg pour prendre ses quartiers d'hiver. Il apparut devant les murs de la ville et demanda que les portes lui fussent ouvertes. Fidèle à ses engagements vis-à-vis des alliés suédois, le conseil municipal s'y refusa et ordonna que les chemins de ronde fussent occupés. Compte tenu de la supériorité de l'attaquant, la résistance ne dura cependant que deux jours, après quoi les défenseurs se rendirent à l'ennemi. En mettant la ville à sac, l'armée impériale, qui avait perdu quelque 300 soldats, fit si bien les choses que même les pauvres collégiens se virent dérober leurs vêtements.

Le châtiment qui s'ensuivit nous est ainsi rapporté par la légende: Irrité par la violente résistance de la ville, Tilly décide de faire exécuter quatre des conseillers municipaux. On a beau le supplier et implorer sa grâce, rien n'y fait, le bourgmestre Besold doit faire venir le bourreau. Sur ces entrefaites on apporte au général un énorme hanap contenant 3¼ litres du meilleur vin de Franconie pour l'inciter à se montrer clément. Par caprice, Tilly promet à la ville de lui épargner tout nouveau pillage et autres destructions si l'un des conseillers vide le hanap d'un seul trait. L'ancien bourgmestre Nusch ose relever le défi et sauve la ville. Il reste ensuite endormi pendant trois jours, sans toutefois subir le moindre dommage. Aux heures pleines, l'horloge monumentale à sonneries et jeu de figures du «Ratsherrntrinkstube», ou «Taverne de l'Hôtel de Ville», symbolise la scène qui nous montre Nusch vidant le hanap, et toute la légende est représentée annuellement lors du festival historique du «Meistertrunk», ou «Maîtresse Rasade».

Rothenburg dut endurer des cantonnements et des passages de troupes pendant de nombreuses années encore. Il y eut un dernier canonnage en 1645. Cette fois, c'étaient les troupes impériales qui refusaient de rendre la ville, mais elles furent incapables d'arrêter les assiégeants français du général Turenne qui commandait 30 000 hommes et disposait de 50 pièces d'artillerie. Les soldats complètement affamés durent être nourris dans la ville et les villages environnants. Dans les murs de la ville, on prit soin de 530 Français et Hessois malades dont 300 environ moururent et furent enterrés dans des fosses communes. Lorsque l'armée leva le siège, les provisions étaient épuisées, la récolte piétinée. On dut même démolir de vieilles maisons pour se procurer du bois de chauffage. En 1647 finalement, une armée du margrave de Durlach pressura les habitants à un tel point que quelques bourgeois quittèrent la ville alors que d'autres furent réduits à une indigence totale. A la conclusion de la paix en 1648, la ville dut une nouvelle fois réunir la somme de 50 000 florins, ce qui l'obligea de faire un emprunt et d'imposer jusqu'aux salaires des gens de maison, des garçons de ferme et des servantes. Deux ans plus tard, les derniers soldats s'en allèrent enfin de la ville complètement saignée à blanc.

Rothenburg devient ville de province

En conséquence de la guerre et des épidémies, la population de Rothenburg avait diminué de moitié. Pour régler ses dettes, la ville dut vendre des biens immobiliers et mettre en gage des villages entiers. Elle ne s'est plus jamais remise de cette saignée. En 1762, un lieutenant s'approcha de la ville en compagnie de 35 hussards et demanda l'autorisation d'y entrer. Bien que les attaquants tentassent vainement d'ouvrir le Galgentor, ou Porte du Gibet, par la force, le conseil municipal se déclara prêt à accepter un arrangement. Comme cela avait été convenu, on ouvrit le Rödertor pour laisser entrer le lieutenant seul, mais celui-ci chevaucha avec ses hussards jusqu'à la place du Marché et se fit loger. Il exigea une somme de 80 000 florins, menaçant de faire autrement piller la ville. Une collecte faite parmi les habitants ne réunit que 30 000 florins que le lieutenant quittança en guise d'acompte. Lorsqu'il s'en alla, il emporta le carosse à six chevaux de la ville ainsi que trois notables qui servaient d'otages. Les otages revinrent une semaine plus tard, mais le carosse ne fut plus jamais retrouvé.

En l'an 1802, la ville de Rothenburg perdit son immédiateté et devint bavaroise. Le développement de la petite ville de province appauvrie fut complètement paralysé.

C'est à cette léthargie séculaire que nous devons l'architecture authentique du Rothenburg médiéval. La ville suscita de nouveau l'intérêt au cours des années soixante du dernier siècle. Des lignes de chemin de fer mirent la ville en valeur pour le tourisme.

Le samedi saint de l'année 1945, une attaque aérienne causa dans la ville davantage de dégâts que toutes les guerres du passé: plus de 300 immeubles d'habitation, 6 édifices publics, 9 tours et 1 km. de remparts furent détruits. Cependant, les propriétaires reconstruisirent les édifices en respectant fidèlement les vieux plans. C'est ainsi que Rothenburg, joyau du moyen âge, est demeuré jusqu'à ce jour le but de touristes allemands et étrangers.

Eglises et monastères

Il a fallu plus d'un siècle pour achever l'imposante église Saint-Jacques, consacrée en 1448 et construite en haut gothique. En raison de la durée des travaux de construction, plusieurs maîtres participèrent à la planification et à l'exécution. Cela est démontré à l'évidence par les différents façonnements des deux combles pyramidaux.

L'intérieur de l'église passe pour être exemplaire de l'art accompli du gothique allemand, qui s'est presque exclusivement consacré à l'architecture sacrée. Les stalles étaient réservées aux chevaliers teutoniques qui célébrèrent l'office dans cette église jusqu'au XVIe siècle. Au fond du choeur se trouvent des vitraux artistement composés et datant de l'époque qui a suivi l'achèvement de l'église. Les lieux sont cependant dominés par le sompteux autel des Douze Apôtres, une donation en date de 1388 du bourgmestre Toppler et de sa première épouse. Les tableaux décorant les panneaux intérieurs et extérieurs ainsi que le socle de l'autel sont l'oeuvre du fameux peintre Frédéric Herlin (vers 1430–1500). Alors qu'à l'intérieur sont représentées des scènes de la vie de Marie, les tableaux de la face extérieure dépeignent la mort et la légende de saint Jacques, le patron de l'église. L'autel du couronnement de Marie, assemblé au XIXe siècle, est lui aussi orné d'anciennes oeuvres d'art. Dans la «chapelle Toppler», une pierre tombale rappelle la mémoire du plus célèbre des fils et bourgmestres de Rothenburg. L'oeuvre d'art la plus significative de l'église se trouve sur la galerie occidentale, derrière les orgues. Il s'agit de l'autel du Précieux Sang du sculpteur sur bois Tilman Riemenschneider (vers 1460–1531), célèbre dans toute l'Allemagne. Les reliefs latéraux représentent l'Entrée de Jésus à Jérusalem et la scène du Mont des Oliviers. Ils encadrent la sainte Cène travaillée à trois dimensions dans le tilleul.

L'église des franciscains en style ogival primaire – avec la tour latérale gracile – située dans la Herrngasse, ou rue des Seigneurs, appartenait au monastère de l'ordre mendiant fondé à Rothenburg en 1281 et fut consacré en 1309. Une balustrade en bois de Lettner sépare le choeur, autrefois réservé aux moines, de la nef ouverte aux laïcs. Le plancher, les murs et les colonnes sont richement ornés de pierres tombales et d'armoiries en bronze des patriciens de Rothenburg et de la noblesse campagnarde des environs.

Saint Wolfgang était considéré comme le patron des bergers et devait protéger leurs troupeaux des loups féroces et de la maladie. Devant le Klingentor, où se réunissaient traditionnellement les bergers pour prier, fut édifiée à partir de 1475 l'église Saint-Wolfgang, ou église des Bergers, et incorporée dans le dispositif de fortification de la ville. Au lieu d'un clocher, c'est un lanterneau qui porte la seule cloche. La façade extérieure présente non des fenêtres mais deux rangées de meurtrières. La maison de Dieu est contiguë à la tour de la porte extérieure de la Klingenbastei. On ne peut accéder au corps de garde de ce bastion qu'en empruntant un escalier en colimaçon à l'intérieur de l'église fortifiée. Au dessous du chemin de ronde, on profita de l'épaisseur extraordinaire du mur pour y encastrer des chapelles, une sacristie et un escalier tournant qui conduit aux casemattes installées au-dessous de l'église.

Vers l'an 1200, les chevaliers hospitaliers de Saint-Jean de Jérusalem reprirent à la porte sud de la plus vieille fortification de la ville un hôpital qu'ils aménagèrent en un établissement de l'ordre. Deux siècles plus tard, la ville leur construisit l'église qui appartient aujourd'hui à la paroisse catholique. Dans le couvent attenant se trouve maintenant le «Mittelalterliche Kriminalmuseum», ou musée du Droit médiéval.

Vers 1280, la ville commença la construction d'un deuxième hôpital, celui du Saint-Esprit. Il était destiné à soigner les malades et les pauvres, mais, au début, il servit également d'auberge pour les voyageurs qui n'atteignaient la ville qu'une fois les portes fermées. Les bâtiments qui entourent la cour de l'hôpital constituent toujours un ensemble compact. De l'époque de fondation, on a conservé l'église sans clocher de l'hôpital, ornée de monuments funéraires et de sculptures qui valent la peine d'être vus. Contiguë à l'édifice principal au sud, elle est une oeuvre de Leonhard Weidmann, tout comme le charmant Hegereiterhaus, ou maison du garde forestier. La Zehntscheune, ou grange de la Dîme, qui s'allonge du côté ouest de la cour fut construite en 1699 et aménagée en Reichsstadt-Halle, ou salle des fêtes impériale, en 1975. Derrière une grille en fer forgé, nous pouvons voir la fontaine murale près du vieux fournil et, à gauche, l'ancienne «maison de la peste» avec ses cellules. La gracieuse maisonnette du garde forestier, avec la tour à escalier élancée, surmontée d'une lanterne ainsi que du comble pyramidal effilé, est en vif contraste avec les bâtiments utilitaires sobres qui l'entourent. La cuisine de l'hôpital était installée au rez-de-chaussée et à l'étage supérieur résidait par moments l'écuyer du vaste domaine hospitalier.

Vers l'année 1250, un propriétaire terrien du pays fit don de sa ferme à l'ordre des dominicains qui l'aménagea en un couvent. Il fut habité jusqu'au XVIe siècle par les bonnes soeurs de l'ordre et, tout particulièrement, par les dames de l'aristocratie restées filles ou veuves. Dans l'ancien couvent des dominicaines se trouve de nos jours le Reichsstadtmuseum, ou musée de la ville impériale, de même qu'un galerie de tableaux.

Aux pieds du Kobolzeller Tor, ou Porte de Kobolzell, se dresse dans la vallée la gracile église de Kobolzell (XVe siècle) en gothique flamboyant. Ses trésors d'art ont malheureusement été perdus à l'époque de la guerre des paysans lorsque les meuniers excités par le Dr. Karlstadt démolirent le mobilier de grande valeur.

Edifices publics

La place du Marché est dominée par l'hôtel de ville construit en cinq siècles. Après la destruction, en 1240, de l'ancien édifice gothique abritant les services administratifs, on s'attela, quelques années plus tard, à la construction de l'actuel hôtel de ville gothique. La façade fut une nouvelle fois la proie des flammes en 1505. Leonhard Weidmann, génial bâtisseur de Rothenburg, la remplaça dans les années 1572–78 par la magnifique construction en style Renaissance. L'encorbellement et la tour à escalier assouplissent la stricte horizontalité de la Renaissance allemande et s'unissent harmonieusement avec le bâtiment gothique qui s'élance vers le ciel. Les arcades baroques en saillie (1681) relient l'édifice massif à la place en pente du Marché par des perrons.

Aux heures pleines de la journée (11–15 heures) ainsi que dans la soirée (21–22 heures), la place du Marché est envahie par des touristes qui fixent du regard le gable de la Taverne de l'Hôtel de Ville, au côté nord de la place. Nous y voyons sur une surface étroite la principale horloge de la ville, qui date du XVIIe siècle, une horloge-calendrier, l'aigle impérial et, tout en haut, le cadran solaire en date de 1768. Aux heures susmentionnées s'ouvrent les fenêtres en cul de bouteille situées au bas du tympan et c'est alors qu'apparaissent les principaux personnages du légendaire «Meistertrunk». Dans la fenêtre de droite, l'ancien bourgmestre Nusch lève le hanap et, à la surprise du général Tilly, le vide d'un trait, sauvant la ville du même coup.

A en croire la tradition, la maison à colombage située derrière le Herterichsbrunnen, ou fontaine de Herterich, dans l'angle sud-ouest du Marché serait construite sur les soubassements du tout premier hôtel de ville qui fut la proie des flammes en 1240.

Au XVIIIe siècle, les bouchers de Rothenburg vendaient encore leurs marchandises au rez-de-chaussée, alors que le premier étage était utilisé comme salle des fêtes, d'où l'appellation «Reichsstädtisches Fleisch- und Tanzhaus», ce qui signifie «Maison municipale de la viande et de la danse».

Adossée au Weißer Turm, ou Tour Blanche, se trouve le Judentanzhaus, ou maison de Danse des Juifs, une autre superbe construction à colombage. Jusqu'au moment de leur expulsion, en 1520, elle fut le centre culturel des quelque 500 membres de la communauté juive qui utilisèrent le bâtiment également comme auberge. C'est ici que le fameux rabbin Meir ben Baruch (1215–1293) exerça ses activités.

Au moyen âge, l'approvisionnement en eau a toujours causé des problèmes à la ville en raison de son emplacement sur le plateau. Ainsi, en cas de siège, la population devait craindre que «l'eau lui soit coupée» ou même empoisonnée. C'est pourquoi la ville fit construire au XVIe siècle un chaudron en cuivre installé à l'étage supérieur du Klingenturm grâce auquel elle put approvisionner tous les puits de la ville. En même temps, elle adapta les fontaines au goût du jour, au style Renaissance. La plus décorative est la fontaine de Herterich (1608) sur la place du Marché. Deux autres fontaines Renaissance – le Herrnbrunnen, ou fontaine des Seigneurs, et le Seelbrunnen, ou fontaine des Ames – se trouvent respectivement dans la rue des Seigneurs et sur le Kapellenplatz, ou place de la Chapelle. Dans le Hofbrunnengäßchen, ou ruelle du Puits de la Cour, se trouve un puits à poulie et couvert.

Les maisons bourgeoises

Parmi les maisons construites par les bourgeois de Rothenburg, nous pouvons distinguer deux principales catégories: d'une part, les splendides maisons à pignon des patriciens, telles que nous en voyons près du Marché, dans la Obere Schmiedgasse et la Herrngasse, d'autre part, les maisons des artisans à l'allure bien plus modeste des ruelles étroites et des quartiers extérieurs de la ville.

Le Baumeisterhaus, ou maison des Bâtisseurs, au début de la Obere Schmiedgasse est un véritable joyau de l'architecture urbaine. Les personnages en relief de la façade finement composée symbolisent successivement les sept vertus et les sept vices. L'élégante cour intérieure, entouré d'arcades romantiques et de galeries à étages, vaut la peine d'être vue. Les deux maisons avoisinantes datent de la fin du XIVe siècle.

L'une des plus belles maisons à colombage de Rothenburg, le Jagstheimerhaus, ou maison de Jagstheimer, présente son ravissant pignon du côté de la fontaine de Herterich sur la place du Marché. En 1488, le bourg-mestre Jagstheimer se fit construire en guise de résidence ce bâtiment qui abrite aujourd'hui la Marien-Apo-theke, ou pharmacie Sainte-Marie. C'est dans cette maison que l'empereur Maximilien I passa la nuit en 1513. A l'inverse de la maison de Jagstheimer, les autres maisons de patriciens imposantes donnent sur la rue des Seigneurs. Les bâtiments des numéros 11 et 15 possèdent toujours leurs cours intérieures romantiques; mais il ne fait aucun doute que la cour la plus charmante est celle de la maison Staudt, que nous reconnaissons aux grilles de fenêtre artistement travaillées. La cour magnifique, avec ses galeries, un encorbellement et une tour à escalier, a certainement fait la joie également des hôtes royaux, les empereurs Charles Quint et Ferdinand I ainsi que la reine Eléonore de Suède, épouse de Gustave-Adolphe.

Au moyen âge, les artisans se construisirent des maisons bien moins hautes et moins coûteuses. Citons, par exemple, les maisons de la romantique Burggasse, ou rue du Château fort, les constructions ravissantes du Plönlein et du Röderbogen, la «vieille Forge», ou «alte Schmiede», située à l'est de la ville ainsi que la maison du boulanger Feuerlein qu'orne un encorbellement particulièrement pittoresque dans la Klingengasse.

En général, on ne sait pas grand-chose de l'histoire des constructions moins aristocratiques, à l'exception, toutefois, du Alt-Rothenburger Handwerkerhaus, ou maison des Artisans du vieux Rothenburg, situé au numéro 26 du Stadtgraben, ou fossé de la ville, près de l'Arche Röder. Il fut construit entre 1270 et 1300 et abrita pendant sept siècles successivement les tonneliers, les noircisseurs, les tisserands, les cordonniers, les rétameurs, les potiers, les vanniers, les savonniers, les paveurs, les étainiers et les maçons. Ce joyau nous a sans doute été conservé pour la simple raison que, à l'époque de la modernisation, la propriété fut habitée pendant de longues années par un ermite qui, n'ayant nul besoin de conduite d'eau ou de courant électrique, la laissa dans son état d'origine. Un puits de 14 mètres de profondeur pourrait encore y assurer de nos jours l'approvisionnement en eau.

Le «Topplerschlößchen», situé dans la vallée de la Tauber, mérite d'être visité. Le légendaire bourgmestre Hein-rich Toppler se fit construire ce château entouré d'eau en 1388 dans le style des tours romanes habitées pour y élire sa résidence en été. Les pièces ont presque le même ameublement que du temps du maître d'oeuvre.

Les fortifications

Au moyen âge, obtenir le statut de cité signifiait pour une agglomération qu'elle avait, entre autres privilèges, le droit de construire des fortifications. Ce fut le cas à Rothenburg au XIIe siècle. De cette toute première en-ceinte fortifiée, on ne put utiliser – après l'élargissement rendu nécessaire à partir de 1204 – que le tronçon surplombant la vallée de la Tauber, le reste fut vendu aux enchères pour être démoli. De ce fait, on ne conserva que la Tour Blanche et l'Arche Röder ainsi que la Tour Saint-Marc qui protège cette dernière. La Porte du Châ-teau fort est encore plus ancienne et, à la fois, la plus haute tour d'accès de Rothenburg. Au-dessus des armoiries de la ville se trouve l'aigle à deux têtes, symbole de la ville impériale.

Dans la foulée du premier élargissement de la ville furent construites cinq autres portes qui sont encore aujour-d'hui parfaitement conservées. Après 1500, la ville fortifia ses portes cochères par des bastions, sortes de tours de défense avancées. Au Klingentor, on inséra l'église Saint-Wolfgang dans les remparts. La Porte de Würzbourg a souvent été l'objet de durs combats en temps de guerre. On n'en a conservé, outre la tour princi-pale, que deux tours flanquantes et l'une des premières portes. La Porte Röder, par ailleurs, donne l'impression d'être toujours en état de se défendre. Son bastion à doubles tranchées fortifiées, son pont-levis et ses trois premières portes furent construits en 1615, quelques années avant le début de la guerre de Trente Ans, et constituent la plus jeune fortification de la ville.

L'accès de la vallée de la Tauber était finalement gardé par la Porte de Kobolzell. Située devant la tour principale, l'arche ornée d'un blason est flanquée du Kohlturm, qui ne fut pas érigé directement au-dessus de la porte d'entrée en raison de la déclivité du terrain.

Après l'inclusion du quartier hospitalier dans le mur d'enceinte au XIVe siècle, la ville eut besoin d'une nouvelle porte ouvrant sur le sud pour remplacer la Tour Sieber: c'est ainsi que fur construit le Spitalturm, ou Tour de l'Hôpital. Vers la fin du XVIe siècle, Konrad Weidmann bâtit devant cette tour une fortification extrêmement moderne et pratiquement imprenable, la Spitalbastei, ou Bastion de l'Hôpital. Sept portes, pour la plupart munies de sarrasines, et un large fossé surplombé d'un pont-levis protègent ce principal bastion de Rothenburg dont le chemin de rond pouvait être armé de canons.

A côté des portes de la ville, une multitude de tours et de tourelles surplombent le chemin de ronde. Il faut citer, à cet endroit, quelques-uns des plus hauts bâtiments qui étaient destinés à servir de tours d'observation compte tenu du terrain accidenté. Ce sont, du côté de la vallée, le Stöberleiturm et le Strafturm, ou Tour du Châtiment, et, avant tout, du côté du plateau, le puissant Faulturm, ou Tour des Fainéants.

Origen y evolución de la ciudad Rothenburg

A 60 metros de altura sobre la margen derecha del río Tauber se alza soberbia la antigua ciudad libre imperial Rothenburg. Especialmente su parte Oeste muestra el imponente aspecto de una poderosa ciudad imperial que, con el paso de los siglos, ganó en significación histórica. Sobre la tupida arboleda verde de la ladera ribereña, y por encima de la ininterrumpida ronda de la muralla, se asoman, apiñados, escarpados gabletes y macizas torres subrayando maravillosamente una animada silueta de belleza elemental.

El origen de la ciudad hay que buscarlo en el actual barrio de Detwang, una pequeña aldea cercana situada en el valle del Tauber. En el año 970 aproximadamente, el conde franco-bávaro Reinger fundó la parroquia de Detwang y, por su maravillosa situación estratégica, mando transformar en fortaleza el picacho de Rothenburg. Reinger es considerado como el fundador del linaje de los Condes de Rothenburg. Con la muerte de Enrique II de Rothenburg, en 1116, se extinguió la familia condal. El emperador Enrique V dió en feudo a su sobrino, el duque Conrado de Suabia, los territorios franco-bávaros.

De esta forma, tambien Rothenburg pasó a ser propiedad de la poderosa dinastía de los Hohenstaufen. Conrado se proclamó rey del Imperio Alemán en 1137 y residió en Rothenburg. Delante del viejo castillo condal, mandó edificar la «fortaleza del imperio» (→ «Reichsveste») o «castillo imperial» (→ «Kaiserburg») como residencia propia. Su hijo Federico se crió en Rothenburg. Al morir su padre, «el nene de Rothenburg», como se le llamaba en el lenguaje popular, tenía 8 años. Por ello, los príncipes electores nombraron sucesor al sobrino de Conrado, Federico I, llamado «Barbarroja». El «nene de Rothenburg», sin embargo, conservó los patrimonios familiares suabios y francos. A la edad de 13 años, Barbarroja le armó caballero y le nombró «Duque de Rothenburg». La vida en la corte durante su epoca constituyó uno de los momentos de esplendor en la historia del castillo. Al abrigo del castillo, y en la meseta situada tras la fortaleza, se asentaron poco a poco artesanos, mercaderes y nobles. Este primer florecimiento de Rothenburg, sin embargo, duró poco. En 1167 el duque Federico el Rico, tambien denominado «el Bello», fué a Italia con su primo Barbarroja para luchar contra el Papa Alejandro III. De regreso, sin embargo, estalló una peste entre el ejercito vencedor que costó la vida también del duque de Rothenburg. Sus restos mortales reposan junto a los de su madre, hermana de la emperatriz de Bizancio, en la iglesia del convento de Ebrach, en la Baja Franconia.

El emperador Federico Barbarroja tomó en posesión sus patrimonios. La administración de las posesiones francas la confió a senescales residentes en Rothenburg. En 1171, el emperador visitó el castillo y le atorgó a la ciudad los fueros. De esta forma, y todavía en el siglo XII, se construyó el primer cinturón amurallado con una longitud de 1400 metros. Ya en el año 1204 se comenzó a construir un segundo cinturón de fortificación (la muralla general exterior) que, a excepción del barrio del hospital (→ Spitalviertel), incluído más tarde, correspondía a la actual muralla. Entonces se edificaron las puertas fortificadas Kobolzeller Tor, Siebersturm, Rödertor, Würzburger Tor y Klingentor. Fueron las puertas fortificadas de acceso a la ciudad. Del viejo complejo quedaron únicamente la puerta de acceso a la fortaleza (→ Burgtor), en el cinturón de fortificación exterior, y, en el interior del recinto, la Torre Blanca (→ der Weiße Turm) y el arco Röderbogen con la torre Markusturm. Los materiales y terrenos del viejo muro los vendió la ciudad, a tramos, a personas dispuestas a edificar.

En 1250 se colocó la primera piedra del monumental ayuntamiento gótico (→ Rathaus). En 1274 el emperador Rodolfo de Habsburgo (Austria) concedió a Rothenburg el titulo de ciudad libre imperial.

Por aquel entonces, y debido a la inseguridad de la época, acudían constantemente a la ciudad forasteros. Por otra parte, el hospital «del Espíritu Santo» (→ «zum Heiligen Geist») se encontraba – según costumbre en la Edad Media – fuera de la ciudad y, por ello, sin protección. Los rothemburgueses consiguieron del emperador Alberto I autorización para incluir el barrio del hospital dentro del recinto amurallado. Con motivo de esta amplicación la linea de defensa sumó una longitud total de 3400 metros, es decir, 1000 metros mayor que la anterior, lo que suponía enormes dificultades para la defensa efectiva de la misma.

La importancia política de Rothenburg aumenta

Debido a los privilegios de que gozaba la ciudad por su lealtad al emperador – demostrada a lo largo de decenios –, Rothenburg experimentó un apogeo sin igual en la actividad mercantil y artesana. El derecho que poseía la ciudad de pactar por cuenta propia hizo que aumentara la significación política de la ciudad. Rothenburg se asoció a la Liga de Suabia, siempre vinculada íntimamente a la dinastía imperial.

En 1356 un terremoto destruyó totalmente el recinto de la fortaleza. A mediados del siglo XIV se construyó el pintoresco doble puente sobre el río Tauber.

El nombre del más famoso alcalde de Rothenburg aparece por primera vez en un documento del año 1373: «Heinrich Toppler de Rothenburg auf der Tauber era el burgomaestre de la ciudad: de Ulm, Norling (Nördlingen), Dinkelspühel y de otras ciudades mas: fueron hasta el Rín buscando a sus enemigos». Toppler descendía de una distinguida familia y era un hombre extraordinariamente rico. En el valle del Tauber poseía su residencia de verano: el palacete «Topplerschlößchen», que se hizo construir en forma de un torreón-vivienda de estilo románico. Esta residencia es tambien llamada «Kaiserstuhl» porque en ella recibía y hospedaba con frecuencia Toppler al rey alemán Wenzel (1378–1400). A Toppler, siempre ávido de poderío, se le brindo así la ocasión de ejercer influencia sobre el acontecer político. Las simpatías del rey tenían tambien un precio; Toppler y la opulenta ciudad tenían que pagar por ello al irresoluto Wenzel, que se encontraba siempre en dificultades económicas.

Durante la legislatura de Toppler se inició la construcción de la monumental iglesia de San Jacobo, que domina el aspecto de la ciudad.

En la misma proporción en que las ciudades opulentas alcanzaban una mayor significación política, fué disminuyendo el poder de la nobleza. En su primer enfrentamiento, a partir de 1373, Toppler se distinguió como cuerdo general del ejército. Su adversario más acérrimo fué Federico de Hohenzollern, burgrave (→ castellano) de Nuremberg. Este consiguió, a partir de 1400, una preponderancia decisiva al ser depuesto por los príncipes electores el rey Wenzel – por su descuido en los asuntos de gobierno – y ser sustituido por Ruperto el Palatino, un cuñado del nuremburgués. Se llegó a la guerra y las subsiguientes luchas ocasionaron la devastación de los confines rothemburgueses. Acto seguido, en 1408, se firmó un tratado de paz según el cual la ciudad se obligaba a efectuar tan elevados pagos que, por primera vez desde hacía decenios, sus ciudadanos tuvieron que pagar impuestos. Los ánimos del pueblo se volvieron contra Toppler. El 6 de abril de 1408 fué inteceptada una carta escrita por Toppler al depuesto rey Wenzel. Fué detenido el alcalde juntamente con su hijo mayor y su primo y fueron encerrados en la oscura mazmorra del sotano de la alcaldía. Dos meses despues de su detención, murió Toppler. Sus parientes fueron puestos en libertad poco despues.

Los herederos de este personaje eminente tuvieron que pagar a la ciudad más de 10.000 florines, abjurar la venganza y vender sus posesiones sitas en Rothenburg. La sepultura de Toppler se encuentra en la iglesia de San Jacobo.

Epoca de la Reforma

Las ideas de Martín Lutero encontraron también acogida en Rothenburg. La ciudad se unió al ejercito de Los Labradores, gobernado por Florián Geyer. El «Iconoclasta» Dr. Karlstadt, desde Rothenburg, excitó los ánimos de la población y el lunes de Pascua de 1525 un grupo de molineros del Valle del Tauber saqueó la pequeña iglesia Kobolzeller Kirche, destrozaron sus rèquezas artísticas y las arrojaron al rio. En el mismo año tuvo lugar el decisivo combate en el que las fuerzas reales de la Liga de Suabia aniquilaron el Ejercito Labrador de Florián Geyer.

El 28 de junio de 1525, el margrave Casimiro de Ansbach, uno de los jefes del ejército vencedor, ocupó la ciudad de Rothenburg. Dos días más tarde, y en la plaza del Mercado, mandó leer un discurso de condena dirigido a la población. Los cabecillas fueron decapitados públicamente y los 17 cadáveres quedaron tendidos en la plaza hasta la noche «para que su sangre – dijo – corra hasta la calle Schmiedgasse como un pequeño arroyo».

El Concejo de la ciudad se pronunció de nuevo en favor del restablecimiento de la práctica de la religión católica. Pese a todo, las ideas de la Reforma quedaron arraigadas en el pueblo y, en 1554, la Iglesia Mayor (→ Hauptkirche) pasó a ser definitivamente iglesia protestante.

En la persona de Leonardo Weidmann, en el siglo XVI, Rothenburg tuvo un destacado representante del estilo renacentista. Su obra maestra es el Ayuntamiento de estilo renacentista (iniciado en 1572). Sustituyó el ala este de la doble construcción gótica, destruida por un incendio.

Decadencia de la ciudad durante la Guerra de los Treinta Años

Mas tarde estalló la gran guerra, la Guerra de los Treinta Años. Hasta el fatal año 1631, la ciudad no se vió afectada por operaciones militares de importancia. En aquel año se había acuartelado en Rothenburg el rey Gustavo Adolfo de Suecia. Al abandonar la ciudad, dejó una pequeña guarnición para impedir que las tropas imperiales entraran en la ciudad. Pero, precisamente el más poderoso de los jefes del ejército de la Liga Católica, Tilly, había previsto invernar en Rothenburg. Llegó a la ciudad y solicitó entrada. Pero, por lealtad a sus aliados suecos, el Concejo de la ciudad le denegó la entrada y ordenó ocupar los adarves. La resistencia contra la superioridad numérica, sin embargo, duró únicamente dos días; luego, se rindieron los defensores. El ejército imperial que había perdido aproximadamente 300 hombres, marchó por la ciudad saqueándola de tal forma que, incluso los pobres alumnos de latín, se vieron despojados de sus vestiduras.

El juicio, que a continuación tuvo lugar, lo describe la leyenda: Irritado por la dura resistencia ofrecida, Tilly quiere que sean ajusticiados cuatro concejales de la ciudad. Ruegos y súplicas no sirven de nada; el alcalde de la ciudad, Bezold, ha de ir a buscar al verdugo. Entretanto, para calmar su cólera, se le ofrece, del mejor vino franco, una copa enorme de tres litros y cuarto de cabida. En broma, Tilly, promete a la ciudad evitarle nuevos saqueos y devastaciones en caso de que uno de los concejales consiga vaciar la copa de un tirón. El ex burgomaestre Nusch arriesga el trago y salva la ciudad. Luego pasa tres días durmiendo, pero sin mayores consecuencias. La escena de la toma de vino es representada en un reloj de música, situado en la Taberna de los Concejales (→ Ratsherrntrinkstube), cada vez que toca las horas. La leyenda completa se representa todos los años en la histórica obra festival «Trago maestro» (→ «Meistertrunk»).

Rothenburg tuvo que soportar, todavía durante años, alojamiento y pasada de tropas. El último cañoneo tuvo lugar en 1645. Esta vez fueron tropas imperiales quienes se negaron a entregar la ciudad, pero los franceses que, al mando del general Turenne, habían sitiado la ciudad con 3000 soldados y 50 piezas de artillería, no se les pudo contener. Los soldados, totalmente muertos de hambre, tuvieron que ser abastecidos en la ciudad y en las aldeas vecinas. En el recinto de la fortaleza fueron atendidos 530 heridos franceses y hesienses. Tres cientos de ellos, aproximadamente, murieron y fueron enterrados en fosas comunes. Cuando se retiraron las tropas, las provisiones se habían agotado y las cosechas totalmente deshechas. Para tener leña suficiente para el fuego, se tuvieron que derrumbar casas viejas. Finalmente, en 1647, un ejército del margrave de Durlach les arruinó de tal forma que algunos ciudadanos abandonaron la ciudad y otros quedaron totalmente en la miseria. Al concertar la paz, en 1648, la ciudad tuvo que reunir nuevamente 50.000 florines y, para ello, tomar, por primera vez, un préstamo e incluso gravar con impuestos el salario de mensajeros, criados y criadas. Dos años más tarde, y totalmente sumida en la miseria la ciudad, se fueron por fin los últimos soldados.

Rothenburg deja de ser ciudad imperial

Guerras y epidemias habían reducido el número de habitantes de la ciudad a la mitad. La ciudad se vió obligada a vender terrenos y empeñar pueblos para poder pagar sus deudas. De ésta sangría no se ha repuesto jamás. En 1802, Rothenburg perdió su dependencia inmediata del Imperio y pasó a ser bávara. En la empobrecida pequeña ciudad de provincia, el desarrollo experimentó una paralización total.

Durante siglos dormimos como la Bella Durmiente, y a ello debemos el genuino aspecto de la Rothenburg medieval. En el siglo pasado, por los años sesenta, se comenzó de nuevo a interesarse por la ciudad. Las lineas de ferrocarril hicieron posible el movimiento de forasteros en la ciudad.

En 1945, en Sábado Santo, un ataque aéreo proporcionó a la ciudad mayores daños que los ocasionados por todas las guerras anteriores: más de 300 casas, 6 edificios públicos, 9 torres y 1 km. del muro de defensa fueron destruidos. Los propietarios, sin embargo, levantaron de nuevo los edificios exactamente igual a los anteriores. Por ello, Rothenburg, sigue siendo hoy la meta de turistas nacionales y extranjeros: una alhaja de la Edad Media.

Iglesias y conventos

La monumental Iglesia de San Jacobo (→ St.-Jakobs-Kirche), es el resultado de más de cien años de trabajos incansables. Fué consagrada en 1448, y pertenece al estilo gótico radiante. Debido a su largo período de construcción, fueron muchos los maestros que tomaron parte en su diseño y ejecución. Esto se puede apreciar claramente de forma especial en el distinto modelado de las cúpulas de ambas torres.

El interior de la iglesia está considerado como modelo ejemplar del sublime arte gótico germano, que se dedicó casi con exclusividad a la arquitectura religiosa. La sillería del coro estaba reservada para los señores concejales que, hasta el siglo XVI, asistían desde aquí a los oficios religiosos. El fondo del coro está formado por vidrieras artísticamente compuestas que datan de la epoca inmediata a la conclusión de la iglesia. El recinto, sin embargo, está dominado por el Altar (predela) de los 12 Apóstoles (→ Zwölfbotenaltar), de vistoso colorido y donado por el burgomaestre Toppler y su primera esposa en 1388. La pinturas, en las naves central y colaterales asi como las del zócalo del retablo del altar, son obra del famoso pintor de iglesias Federico Herlin (años 1430–1500). Mientras que en la parte central están representadas escenas de la vida de María, las pinturas laterales describen la muerte y la leyenda del patrono, bajo cuya invocación y protección se halla la iglesia, San Jacobo. Antiguas obras de arte posee también el Altar de la Coronación de la Virgen María (→ Maria-Krönungs-Altar), del siglo XIX. En la «Capilla de Toppler» (→ «Topplerkapelle»), una losa recuerda la memoria del más célebre hijo y burgomaestre de Rothenburg. La obra de arte más importante de la iglesia se encuentra detrás del órgano, en la parte superior oeste: el Altar de la Sagrada Sangre (→ Heiligblut-Altar). Es obra del imaginero, conocido en toda Alemania, Tilman Riemenschneider (1460–1531). Los relieves laterales muestran la entrada gloriosa de Cristo en Jerusalen y la escena en el Monte de los Olivos y sirven de marco a la escena de la Sagrada Cena, de plasticidad total y trabajada en madera de tilo. La preciosa reliquia, a la que se debe el nombre del altar, procede todavía de la anterior Iglesia de San Jacobo, que fue meta de peregrinaciones ya en el siglo XII. La Iglesia de los franciscanos (→ Franziskanerkirche), con su elegante torre lateral y de estilo gótico primitivo, se encuentra en la calle Herrengasse. Pertenecía al convento de la Orden de los Menores, fundado en Rothenburg en 1281. Fue consagrada en 1309. Una baranda de madera – atril – separa el recinto coral, antiguamente lugar reservado para los monjes, de la nave, espacio reservado a los seglares. El suelo, las paredes y columnas están abundante-mente adornados con lápidas y escudos de bronce de los patricios rothemburgueses y de la nobleza provincial. Aquí fue sepultado, entre otros, Dietrich von Berlichingen, abuelo del famoso Götz.

San Wolfgang estaba consierado como el patrón de los pastores y debía proteger sus ganados contra los lobos feroces y contra las enfermedades. En el antiguo oratorio de los pastores, delante de la Puerta Klingentor, comenzó a edificarse a partir de 1475 la Iglesia de San Wolfgang o tambien denominada Iglesia de los Pastores (→ Wolfgangskirche o Schäferkirche) y quedó incluida dentro de la fortificación. La iglesia no tiene campanario y, en su lugar, una espadaña sustenta la única campana existente. La fachada exterior tiene, en lugar de ventanas, dos hileras de troneras. La iglesia está tocando con la barbacana exterior de acceso al bastión de lla-mada cuyo puesto de guardia únicamente se puede alcanzar a través de una escalera de caracol situada en el interior de la iglesia protectora. Debajo de los adarves se utilizó el extraordinario grosor de la muralla para construir capillas, una sacristía y una escalera de caracol que conduce a las casamatas situadas debajo de la explanada de la iglesia.

Hacia el año 1200 los sanjuanistas se hicieron cargo de un hospital situado en la puerta meridional de la primera fortificación de la ciudad. Más tarde, lo ampliaron y lo convirtieron en casa religiosa. Dos cientos años más tarde, la ciudad les edificó la iglesia que hoy pertenece a la comunidad cátolica. En su frontispicio podemos apreciar todavía los goznes de la antigua puerta de la ciudad, adornados con el blasón del majordano imperial de Rothenburg. El edificio capitular contiguo está dedicado hoy al Museo Criminal Medieval (→ Mittel-alterliches Kriminalmuseum).

Hacia el año 1280 comenzó la ciudad la edificación de un segundo hospital: el Hospital del Espíritu Santo (→ Spital «Zum Heiligen Geist»). Estaba dedicado al cuidado de los enfermos y de los pobres. En un principio sirvió también para albergar a los viajeros que habían llegado a la ciudad despues de haberse cerrado las puertas de la ciudad. Todavía hoy, los edificios emplazados en torno al patio del hospital forman un complejo unitario. La iglesia del hospital, sin torre, data del tiempo de su fundación y está dotada de monumentos funé-bres y esculturas de los siglos XIV y XV dignos de ver. A continuación, y enlazando en su parte sur, se en-cuentra el edificio central que, al igual que la encantadora casa de los guardabosques situada en el centro del patio, es obra de Leonardo Weidmann. Los extensos graneros para los diezmos, situados en la parte oeste del patio, fueron construidos en 1699 y, en 1975, transformados en sala de festejos municipal (→ Reichsstadt-Halle) en el que tienen lugar los grandes actos organizados en la ciudad. La parte Norte y Sur de la propiedad están ocupadas por edificios administrativos. Tras una verja de forja podemos ver los depositos de agua junto al antiguo horno y, a su izquierda, enlazando con él, la antigua «casa de la peste» (→ «Pesthaus») con sus celdas de aislamiento. En enorme contraste con la sobriedad práctica de las construcciones que la rodean hallamos la idílica casita de los guardabosques (→ Hegerreiterhäuschen), con su esbelta torre escalonada y coronada por linternas y el cimborio. En la planta baja del hospital se encontraba la cocina; encima de la misma vivía, de vez en cuando, el mayordomo de las extensas propiedades del hospital.

Por el año 1250, uno de los señores feudales del país regaló su alquería a los dominicos y la transformaron en convento. Hasta el siglo XVI estuvo habitado por monjas dominicas; en su mayoría, señoras de la nobleza que no se habían casado o que se habían quedado viudas. En el antiguo Convento de las Dominicas (→ Dominika-nerinnen-Kloster) se encuentran hoy el Museo de la Ciudad Imperial (→ Reichsstadtmuseum) y una Galería de pintura. El sencillo claustro, de estilo gótico primitivo, está adornado con pinturas del año 1494, la «Pasión de Rothenburg» (→ «Rothenburger Passion»).

En el valle, al pie de la Puerta Kobolzeller Tor, se levanta la elegante iglesia Kobolzeller Kirche (siglo XV), de estilo gótico florido. Sus tesoros artísticos se perdieron lamentablemente durante la Guerra de los Labradores, cuando los molineros, instigados por el Dr. Karlstadt, destruyeron el valioso mobiliario.

Edificios públicos

En la plaza del mercado (→Marktplatz) el edificio dominante es el Ayuntamiento (→Rathaus). Su construcción duró cinco siglos. En el año 1240 la ciudad fue víctima de un incendio; la antigua sede administrativa, de estilo gótico, quedó destruida. Pocos años despues se comenzó a edificar el actual Ayuntamiento gótico. En 1505, un incendio destruyó de nuevo la mitad de su parte delantera. En su lugar, en 1572–78, el genial arquitecto rothemburgués L.Weidmann encajó la fantástica obra renacentista. El elevado mirador angular y la torre escalonada suavizan la severa horizontalidad de lineas del Renacimiento germano adaptándose armónicamente a la espiritual construcción gótica. Mediante una escalinata, el pórtico barroco (de 1681) une la maciza construcción a la inclinada superficie del mercado.

Al mediodia (de once a tres) y por la noche (de nueve a diez), al toque de las horas, se llena la plaza del mercado de turistas que, embelesados, dirigen su mirada hacia el hastial de la Taberna de los Concejales (→Ratsherrntrinkstube), situada en la parte Norte del Mercado. En el reducido espacio se encuentra el reloj más importante de la ciudad (del siglo XVII) – reloj magistral –, un reloj calendario, las armas imperiales y, en la parte superior, un reloj de sol con la inscripción del año 1768. En las horas arriba mencionadas, se abren las ventanas caladas situadas en la parte inferior del frontispicio y aparecen los personajes principales del legendario «Trago maestro» (→«Meistertrunk»). A la derecha, el ex burgomaestre Nusch empina la enorme jarra y, ante el asombro del jefe del ejército Tilly, la vacía salvando de esta forma a la ciudad.

La casa de paredes entramadas situada detrás del Herterichsbrunnen (→un aljibe) en el ángulo Suroeste del Mercado, se halla, según la tradición, sobre los fundamentos del primer Ayuntamiento de la ciudad, destruido por las llamas en 1240. Hasta el siglo XVIII los carniceros rothemburgueses realizaban sus ventas en los bajos; el primer piso servía de sala de festejos. De ahi su nombre actual: Reichsstädtisches Fleisch- und Tanzhaus (→Carnicería y casa de baile de la municipalidad imperial).

Adosada a la Torre Blanca (→Weißer Turm) encontramos otra magnífica casa de paredes entramadas, la casa de baile de los judios (→Judentanzhaus). Hasta su expulsión (1520), se utilizó como centro cultural de la numerosa comunidad judía (unas 500 personas). La comunidad judía utilizó tambien el edificio como albergue. En ella ejerció sus funciones el famoso rabino Meir ben Baruch (1215–1293).

Debido a su enclave sobre la meseta, el abastecimiento de agua fue siempre en la Edad Media un problema para la ciudad. Principalmente en caso de sitio, existía el peligro de que algún enemigo de la población «desviara las aguas» o que las envenara. En el siglo XVI, la ciudad instaló una caldera de cobre en lo alto de la Torre Klingenturm; este depósito elevado abastecía los números aljibes de la ciudad. Por este mismo tiempo se modelaron los pozos según el estilo de la época, el Renacimiento. De ellos, el que más impresiona por su decoración es el Herterichsbrunnen, de doce esquinas, situado en el Mercado. Hay todavía otros dos pozos de estilo renacentista: el Herrnbrunnen, en la calle Herrngasse, y el Seelbrunnen en la plaza de la Capilla (→Kapellenplatz). En el callejón Hofbronnengäßchen se conserva un pintoresco pozo de garrucha cubierto.

Casas burguesas

Entre las casas construidas por los ciudadanos rothenburgueses distinguismos sobre todo dos grupos: Por una parte, las casas patricias, suntuosas y de elevados gabletes, como las que hallamos en las calles Obere Schmiedgasse y Herrengasse, en las proximidades del Mercado; por otra parte, mucho más sencillas en su construcción, las casas de los artesanos situados en los estrechos callejones y en los barrios situados fuera del recinto de la ciudad.

Una joya de urbanización lo constituye la Casa del Arquitecto (→Baumeisterhaus), del año 1596, situada al principio de la calle Obere Schmiedgasse. Las figuras plásticas de la bién distribuida fachada representan, en sucesión alterna, las Siete Virtudes y los Siete Vicios Capitales. Digno de ver es también el elegante patio interior con su romántico pórtico y numerosas galerias superpuestas. Las dos casas vecinas fueron construidas a finales del siglo XIV.

Una de las casas de paredes entramadas más bellas de Rothenburg es la Jagstheimerhaus; da, con su encantadora fachada hastial, al pozo del Mercado, el Herterichsbrunnen. El edificio, hoy la farmacia de Sta. Maria (→Marien-Apotheke), la mandó construir en 1488 el burgomaestre Jagstheimer como vivienda suya. En esta casa pernoctó, en 1513, el emperador Maximiliano I. Al contrario que la Jagstheimerhaus, las restantes casas patricias dan, con su fachada hastial, a la calle Herrngasse. Los edificios Nrs. 11 y 15 de esta calle todavía poseen sus románticos patios interiores. El patio interior más atrayente, sin embargo, es el de la casa de

Staudt, que podemos reconocer por el artístico enverjado de sus ventanas. El magnífico patio con sus galerias, un mirador y una torre escalonada, agradó tanto a los huespedes reales, los emperadores Carlos V y Fernando I, como a la reina Eleonora de Suecia, la esposa de Gustavo-Adolfo.

Las casas de paredes entramados construidas por los artesanos en la Edad Media eran mucho menos altas y sin tanto gasto. Debemos mencionar aquí, como ejemplo de ellas, la hilera de casas en la romántica calle del Castillo (→ Burggasse), los encantadores grupos del Plönlein y del Arco Röder, la «vieja herrería» (→ «alte Schmiede») en la parte Este del muro de la ciudad y la casa del maestro panadero en la Klingengasse, con un mirador muy pintoresco.

Las referencias respecto a estas edificaciones, más sencillas, son en su mayoria excasas. Una excepción es, ciertamente, la Alt-Rothenburger Handwerkerhaus (→ Antigua casa rothemburguesa de artesanía), situada en la calle Stadgraben, Nr. 11, y próxima al Arco Röder. Fue construida entre 1270 y 1300 y, a lo largo de siete siglos, cobijó sucesivamente toneleros, tintoreros al tizne, tejedores, zapateros, estañadores y albañiles. El que esta alhaja se haya conservado hasta nuestros días se debe, sobre todo, a que en tiempos de la modernización un ermitaño habitó esta casa durante años y lo dejó todo como estaba, ya que ni necesitaba cañerías para el agua ni luz eléctrica. En su interior hay un aljibe de 14 metros de profundidad, que, aún hoy, sería capaz de asegurar el abastecimiento de agua.

También vale la pena visitar el Palacete de Topler (→ «Topplerschlößchen»), en el Valle del Tauber, adornado de blasones. El legendario burgomaestre H. Toppler mandó construir, en 1388, el original castillo, con foso de agua, como residencia de verano; fué construido al estilo de las viviendas fortificadas románicas. Las habitaciones se encuentran todavía amuebladas casi como en la epoca de su dueño.

Las fortificaciones

En la Edad Media cuando una población había conseguido los fueros, significaba, entre otras cosas, que le estaba permitido construir una fortificación amurallada. En Rothenburg fue edificada en el siglo XII. De aquella primera muralla, y debido a la necesaria ampliación efectuada a partir de 1204, quedó únicamente aprovechable el trozo situado en el declive hacia el Valle del Tauber. El resto fué vendido en pública subasta para su derribo. En el casco de la ciudad únicamente quedaron intactos la Torre Blanca (→ Weißer Turm) y el Arco Röder (→ Röderbogen) con la Torre de San Marcos (→ Markusturm) que lo defendía. De época más antigua es la torre de la Puerta del Castillo (→ Burgtor), que es al mismo tiempo la torre de acceso más alta de Rothenburg. En el escudo de la ciudad figura el águila imperial, símbolo de la ciudad libre imperial.

Despues de la primera ampliación de la ciudad, se crearon, en el siglo XIV, cinco nuevas puertas de acceso a la ciudad; estas se conservan, todavía hoy, íntegras.

A partir de 1500, la ciudad reforzó las entradas mediante baluartes, adelantadas puertas de defensa. La Iglesia de S. Wolfgang quedó comprendida dentro de la fortificación, junto a la Puerta Klingentor.

En tiempos de guerra se combatía con frecuencia encarnizadamente por alcanzar la Puerta de Würzburg. De ella se conservan, a demás de la torre de entrada, únicamente dos torres flanqueantes y una de las puertas exteriores. Por el contrario, la Puerta Röder presenta todavía hoy un aspecto vigoroso. Su baluarte con doble foso, puente levadizo y los tres rastrillos, fue edificado en 1615, pocos años despues de estallar la Guerra de los Treinta Años. Es la construcción de defensa más reciente.

La salida hacia el Valle del Tauber estaba vigilada por la Puerta de Kobolzell. Su arco, adornado con escudos y situado delante de la torre principal, está flanqueado por la Torre Kohl, que debido a lo escarpado del terreno no fué construida sobre la entrada.

Cuando en el siglo XIV fué incluído el barrio del hospital dentro de la muralla, la ciudad necesitó construir un nuevo acceso fortificado en la parte Sur para sustituir, así, la Torre Sieber (→ Siebersturm): Se creó entonces la Torre del Hospital (→ Spitalturm). A finales del siglo XVI, Leonhard Weidmann edificó delante de ella una fortificación extraordinariamente moderna y con capacidad defensiva: el Bastión del Hospital. Siete puertas — en su mayoría dotadas de rastrillos — y un gran foso con puente levadizo aseguraban el baluarte más importante de Rothenburg; su terraplén podía ser provisto con piezas de artillería.

Además de las torres de la ciudad se asoman sobre el adarve un sinfín de torres albarranas y torrejones. Entre ellas son dignas de mención algunas de las construcciones más elevadas — atalayas —, construidas para vigilar los terrenos deficilmente controlables: hacia el valle, la Torre Stöberlei y la Torre de los suplicios (→ Strafturm), y hacia el llano, sobre todo la Faulturm.

View from the outer gate towards the sentry walk of the Spital bastion.
Les remparts de la Spitalbastei, ou Bastion de l'Hôpital, vus de la porte avancée extérieure.
Terraplén del baluarte del Hospital visto desde la puerta adelantada exterior.

Evening on the Plönlein showing Siebersturm and Kobolzeller Gate.

Ambiance nocturne au Plönlein avec le Siebersturm, ou Tour Sieber, et le Kobolzeller Tor, ou Porte de Kobolzell.

Ambiente vespertino en el Plönlein con la Torre Sieber y la Puerta de Kobolzell.

Plönlein showing Siebersturm and Kobolzeller Gate. ▷

Plönlein avec le Siebersturm, ou Tour Sieber, et le Kobolzeller Tor, ou Porte de Kobolzell.

Plönlein con la Torre Sieber y la Puerta de Kobolzell.

The Herterichsbrunnen on the Market Place displaying its richly decorated central column.

La colonne richement ornée de la fontaine de Herterich sur le Marktplatz, ou place du Marché.

El pozo Herterichsbrunnen en la Plaza del Mercado con su columna abundantemente adornada.

The splendid Renaissance building in the Untere Schmiedgasse – The Master Builder's House. ▷

Le Baumeisterhaus, ou maison des Bâtisseurs, édifice artistement construit en style Renaissance dans la Untere Schmiedgasse, ou rue des Forgerons.

Ingeniosa construcción renacentista en la calle Untere Schmiedgasse: la Casa del Arquitecto (Baumeister-haus).

The gable of the Councillors' Drinking Parlour portraying «Meistertrunk» scene.

Le gable de la Ratsherrntrinkstube, ou Taverne de l'Hôtel de Ville, représentant une scène du Meistertrunk, ou Maîtresse Rasade.

Frontispicio de la Taberna de los Concejales con la representación de la escena del «Trago maestro».

The twin gables of the Town Hall showing the slender tower of its gothic section. ▷

Le double fronton de l'hôtel de ville surplombé de la tour élancée de l'édifice gothique.

El doble hastial (frontispicio) del Ayuntamiento con la esbelta torre de la edificación gótica.

The Rödergasse (Röder Lane) with the Röder Arches. In the background, the massive Markus Tower.

La Rödergasse, ou rue Röder, et le Röderbogen, ou Arche Röder, avec, à l'arrière-plan, le Markusturm, ou Tour Saint-Marc.

La calle Rödergasse con el arco Röder; al fondo la maciza Torre de San Marcos.

Medieval kitchen in the Old Rothenburg Handwerkerhaus (Trades House).
Cuisine médiévale d'une maison d'artisans du vieux Rothenburg.
Cocina medieval en la Antigua casa rothemburguesa de artesanía.

View along Gallows Lane (Galgengasse) showing the White Tower and the Jewish Dance Hall (Juden- ▷
tanzhaus).
La Galgengasse, ou rue du Gibet, avec le Weißer Turm, ou Tour Blanche, et le Judentanzhaus, ou maison de Danse des juifs.
Vista a través de la calle Galgengasse con la Torre Blanca y la Casa de baile de los judios.

The Röder Bastion with three gate arches and double moat.
La Röderbastei, ou Bastion Röder, avec ses trois arceaux et son double fossé.
El bastión Röder con tres arcos de acceso y doble foso.

The White Tower viewed from the Georgengasse. ▷
La Tour Blanche vue de la Georgengasse.
La Torre Blanca vista desde la calle Georgengasse.

Gallows Gate with its sentry walk and wall towers. ▷▷
Le Galgentor, ou Porte du Gibet, avec son chemin de ronde et ses deux tourelles flanquées.
La Puerta de la horca, adarve y torres flanqueantes.

37

The arcade adjoining the Town Hall links it to the Market Place via an open flight of steps.

Les arcades en saillie relient l'hôtel de ville à la place du Marché par des perrons.

El pórtico une, mediante una escalinata, el Ayuntamiento con la Plaza del Mercado.

◁ *Aerial view of Rothenburg's town centre.*

Vue aérienne du centre de la ville.

El centro de la ciudad Rothenburg a vista de pájaro.

Picturesque Renaissance portal in the courtyard between the two Town Hall buildings.

Portail Renaissance pittoresque situé dans la cour intérieure de l'hôtel de ville.

Pintoresco portal renacentista en el atrio situado entre las construcciones del Ayuntamiento.

A statue of St George crowns the splendidly coloured central column of the Herterichsbrunnen.

La colonne aux couleurs magnifiques de la fontaine de Herterich couronnée d'une statue de Saint Georges.

Una estatua de San Jorge remata la magnificamente policromada columna central del pozo Herterichsbrunnen.

A simple column marking a well in the Hofbronnengäßchen. ▷

La colonne de ce puits situé dans le Hofbronnengäßchen nous charme par sa simplicité.

Sencilla columna de aljibe en el callejón Hofbronnengäßchen.

The Herrnbrunnen between the proud gables of the houses of the well-to-do.
Le Herrnbrunnen, ou fontaine des Seigneurs, blottie entre les fiers pignons des maisons de patriciens.
Pozo de los señores, situado entre los soberbios frontispicios de las casas patricias.

View from Herrngasse towards the Town Hall and its gothic tower. ▷
La place du Marché et la tour gothique de l'hôtel de ville vus de la rue des Seigneurs.
Vista del Ayuntamiento con su atalaya gótica desde la calle Herrngasse.

A romantic forecourt of wealthy burgher's house in the «Herrnschlößchen» in Herrngasse.

Cour patricienne romantique du Herrnschlößchen, ou petite château seigneurial, dans la rue des Seigneurs.

Romántico patio patricio en el «Palacete señorial» (Herrnschlößchen) en la calle Herrngasse.

Medieval kitchen in the «Staudt'schen Haus», Herrngasse.   ▷

Cuisine médiévale du Staudt'sches Haus, ou maison Staudt, située dans la rue des Seigneurs.

Cocina medieval en la casa de Staudt; calle Herrngasse.

Franciscan church showing old grave tablets and paintings.
L'église des franciscains où se trouvent de vieux tombeaux et d'anciennes peintures.
Iglesia de los Franciscanos con antiguos monumentos fúnebres y pinturas.

View from the Town Hall Tower along Herrngasse. ▷
La rue des Seigneurs vue de la tour de l'hôtel de ville.
La calle Herrngasse vista desde la torre del Ayuntamiento.

Former verger's dwelling near St Jacob's Church.
L'ancienne habitation du sacristain de la St.-Jacobs-Kirche, ou église Saint-Jacques.
Antigua vivienda del sacristán junto a la iglesia de San Jacobo.

St Jacob's Church with its two different tower roofs. ▷
L'église Saint-Jacques avec ses clochers gothiques dissemblables.
Iglesia de San Jacobo con diversas cúpulas góticas.

Nave and choir of the gothic St Jacob's Church.

La nef centrale et le choeur de l'église Saint-Jacques.

Nave central y coro de la iglesia gótica de San Jacobo.

The artistic splendour of the Altar of the Holy Blood, a masterpiece from the hand of Tilman Riemen- ▷
schneider.

Le Heiligblut-Altar, ou autel du Précieux Sang, chef-d'oeuvre de Tilman Riemenschneider artistement travaillé.

El artístico altar de la Sagrada Sangre. Obra maestra de Tilman Riemenschneider.

Impressive detail taken from the central group depicted on the Altar of the Holy Blood.
Détail impressionnant de la sainte Cène de l'autel du Précieux Sang.
Impresionante detalle del grupo central del altar de la Sagrada Sangre.

Romantic corner featuring a draw-well seen before the towers of St Jacob's Church. ▷
Coin romantique avec puits à poulie. Au fond, les clochers de Saint-Jacques.
Rincón romántico con pozo de garrucha ante la iglesia de San Jacobo.

Timbered house of the master baker, Feuerlein, with its bay window.

La maison à colombage du boulanger Feuerlein avec son encorbellement pittoresque.

Casa de paredes entramadas del maestro panadero Feuerlein con su pintoresco mirador.

The Klingengasse with the Klingenturm situated at the northern city gate.

La Klingengasse et le Klingentor au nord de la ville.

La calle Klingengasse con la Torre Klingenturm en la puerta de acceso a la ciudad situada al Norte de la misma.

▷

Schäfer- or Wolfgangskirche (Wolfgang's Church), battlement church in the Klingen bastion.
L'église fortifiées des Bergers, également appelée église Saint-Wolfgang, insérée dans la Klingenbastei.
Iglesia de San Wolfgang – o de los Pastores; iglesia protectora situada en el bastión de llamada (→ Klingenbastei).

Klingenturm (Klingen Tower) showing sentry walk which can now be driven on. ▷
Le Klingenturm et les remparts carrossables.
La Torre Klingenturm con adarve transitable.

△

The Fortress Gate, the oldest gate tower among the medieval town ▷
defences.

Le Burgtor, ou Porte du Château, la plus vieille tour d'accès des fortifications médiévales de la ville.

La Puerta del Castillo; la torre fortificada más antigua del reducto medieval.

Medieval crime museum: Hoist lever with «Triller», a revolving cage for «petty sinners».

Musée de la Criminalité: Fléau muni d'une «trille», cage mobile réservée aux «petits criminels».

Museo Criminal Medieval: Astil con «pilón», jaula giratoria para «delincuentes de poca monta».

◁ *«Zur Höll» (In Hell) one of the oldest burgher's houses in the town situated in Burggasse.*

«Zur Höll» – «A l'Enfer» – l'une des plus vieilles maisons bourgeoises de la ville située dans la Burggasse, ou rue du Château.

«Zur Höll», una de las más antiguas casas burguesas situada en la calle del Castillo.

Medieval crime museum with its instruments of punishment: Masks of disgrace, interrogation seat, an «iron virgin» and executioner's axe.

Quelques objets exposés au Mittelalterliches Kriminalmuseum, ou musée de la Criminalité au moyen âge: masques d'infamie, chevalet, «vierge de fer» et hache de bourreau.

Museo Criminal Medieval. Instrumentos de castigo: máscaras de afrenta, silla de interrogatorios, «cinturon de castidad» y hacha del verdugo.

Wrought-iron tradesman's sign to be seen in the Untere Schmiedgasse (Lower Smith's Lane).

Enseigne artisanale en fer forgé dans la Untere Schmiedgasse.

Escudo de los artesanos en hierro de forja situado en la calle Untere Schmiedgasse.

«Old Smithy» showing sentry walk and Röder Tower.   ▷

«Alte Schmiede», ou «vieille forge», avec, à droite, le chemin de ronde et la Tour Röder.

«Vieja herrería», adarve y Torre Röder.

The picturesque Hegereiterhaus in the Spital Courtyard.

Le pittoresque Hegereiterhaus, ou maison du garde forestier, dans le Spital-hof, ou cour de l'hôpital.

La pintoresca casa de los guardabosques, en el patio del Hospital.

The bastion on the Kobolzeller Gate with lookout, «Teufelskanzel» (Devil's Chancel). ▷

Le bastion de la Porte de Kobolzell surplombé du poste d'observation baptisé «Chaire du Diable»

Bastión en la Puerta de Kobolzell con la atalaya denominada «púlpito del diablo».

View from the western sentry wall onto the town.
La ville de Rothenburg vue des remparts occidentaux.
Vista de la ciudad desde el muro de defensa occidental.

Kobolzeller Gate with Kohlturm, Siebersturm and Kobolzeller Gate Tower. ▷
La Porte de Kobolzell avec le Kohlturm, le Siebersturm et le Kobolzeller Torturm, ou tour d'accès de Kobolzell.
Puerta de Kobolzell con la Torre Kohl, la Torre Sieber y la puerta fortificada de Kobolzell.

Silhouette of the town seen from the Taubertal and the double-decked bridge.

Silhouette de la ville et pont double vus de la vallée de la Tauber.

Silueta de la ciudad vista desde el Valle del Tauber y el Puente de doble arcada.

Topplerschlößchen (Toppler's Little Castle) in the Taubertal in the style of Roman gate tower. ▷

Le Topplerschlößchen, ou petit château Toppler, construit dans la vallée de la Tauber dans le style d'une tour d'accès romane.

Palacete de Toppler situado en el Valle del Tauber y construido al estilo de un torreón románico.

Projecting wrought-iron sign at a public house in Reichelshofen near Rothen-
burg.
Enseigne d'une auberge à Reichelshofen, près de Rothenburg.
«Muestra» de un restaurante en Reichelshofen, cerca de Rothenburg.

The wrought-iron sign of the Marienapotheke in the Market Place, Rothenburg.

Enseigne de la pharmacie de la Vierge Marie sur la place du Marché de Rothenburg.

«Muestra» de la farmacia Marien-Apotheke situada en la Plaza del Mercado de Rothenburg.

Nightwatchman in historical costume.
Veilleur de nuit en costume historique.
Sereno con atavío tradicional.

Historic Schäfer Dance in the Market Place.

Danse historique des bergers sur la place du Marché.

Tradicional «Baile de los Pastores» sobre la Plaza del Mercado.

◁View from the picturesque Taubertal towards the town in winter.
Vue romantique de la ville à partir de la vallée enneigée de la Tauber.
Vista de la ciudad desde el romántico Valle del Tauber en la época invernal.